My name is Maria. I am a girl.
Me llamo Maria. Soy una muchacha.

I am Spanish and I live in Spain.
Soy española y vivo en España.

I have dark hair and green eyes.
Tengo el pelo moreno y los ojos verdes.

I have one brother. He is a pianist. My mother is a singer.
Tengo un hermano. Es pianista. Mi madre es cantante.

I like playing tennis, riding my bicycle, and reading books.
Me gusta jugar al tenis, pasear con mi bicicleta y leer libros.

bell
el timbre

brake
el freno

handlebars
el manillar

tire
el neumático

WORDBOOK
IN ENGLISH & SPANISH

I like riding.
Me gusta montar.

GALLERY BOOKS
An Imprint of W. H. Smith Publishers Inc.
112 Madison Avenue
New York City 10016

SOME NOTES TO OUR READERS

Different types
Throughout this book the English words are printed in bold heavy type like this – **Dog**; and Spanish words are printed in slanting type like this – *el perro*.

How to say the words
We have not shown how the Spanish words are pronounced. There are some sounds in Spanish that are quite unlike any sound we make in English. We think it better that you should ask a teacher or any grown-up who speaks the language how to say the words in this book in the correct way. Best of all, ask a Spaniard!

Upside-down questions
You will notice that there are upside-down question marks ¿ before question sentences in Spanish. This is not a silly mistake. The Spanish really do place upside-down question marks in this way.

Masculines and Feminines
In English we say "a boy" and "a girl" or "the boy" and "the girl." In Spanish they say **un muchacho** and **una muchacha** or **el muchacho** and **la muchacha**. **Muchacho** is, as you might expect, a masculine word and **un** in Spanish is the masculine for "a." The masculine for "the" is **el** in Spanish. In the same way **una** in Spanish is the feminine for "a," and **la** is the feminine for "the."

In Spanish *all* words are either masculine or feminine. For example "the sun" is masculine (**el sol** in Spanish) but "the snow" is feminine (**la nieve** in Spanish). If the word is plural then **el** and **la** become **los** and **las** (**los libros** for the books, and **las sillas** for the chairs).

Concept: John Grisewood
French translators: Peter Barber
Jean-Pierre Hénot (École Primaire de Beaurainville)
Spanish translators: Raquel-Moya-Agudo
Kevin Hughes (Language Dept.
High Peak College of Further Education)

Copyright © Grisewood & Dempsey 1989

All rights reserved under International and Pan American Copyright Convention. Published in the United States by Gallery Books, an imprint of W.H. Smith Publishers Inc., 112 Madison Avenue, New York, New York 10016. Originally published in England by Grisewood & Dempsey Ltd., London.

ISBN 0-8317-9484-4

FIRST AMERICAN EDITION

Printed in Spain

CONTENTS

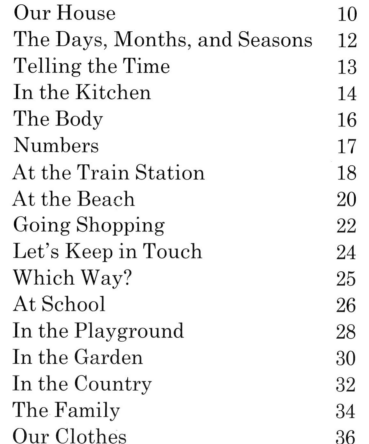

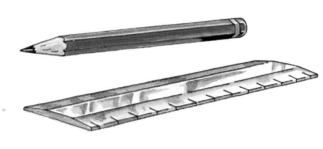

Our Town

1. **road** — *la carretera*
2. **sidewalk** — *la acera*
3. **subway station** — *una estación de metro*
4. **telephone booth** — *una cabina de teléfono*
5. **hotel** — *un hotel*
6. **post office** — *correos*
7. **trash can** — *un cubo de la basura*
8. **drugstore** — *el farmacéutico*
9. **policeman** — *una policia*
10. **baker** — *un panadero*
11. **supermarket** — *un supermercado*
12. **offices** — *las oficinas*
13. **movie theater** — *el cine*
14. **apartments** — *los pisos*
15. **bank** — *un banco*
16. **lamppost** — *un poste de farol*
17. **traffic lights** — *el semáforo*
18. **car** — *un coche*
19. **parking meter** — *un contador de aparcamiento*
20. **truck** — *un camión*

Our House

1. **antenna** — *una antena*
2. **roof** — *el techo*
3. **chimney** — *la chimenea*
4. **attic** — *el ático*
5. **bathroom** — *el cuarto de baño*
6. **toothbrush** — *un cepillo de dientes*
7. **towel** — *una toalla*
8. **soap** — *el jabón*
9. **bed** — *una cama*
10. **pillow** — *una almohada*
11. **window** — *una ventana*
12. **ceiling** — *el techo*
13. **floor** — *el suelo*
14. **stairs** — *los peldaños*
15. **lamp** — *una lámpara*
16. **living room** — *el cuarto de estar*
17. **sofa** — *un sofá*
18. **picture** — *un cuadro*
19. **chair** — *una silla*
20. **kitchen** — *la cocina*
21. **tent** — *una tienda de campaña*
22. **bone** — *un hueso*

I live in a kennel.
Vivo en una perrera.

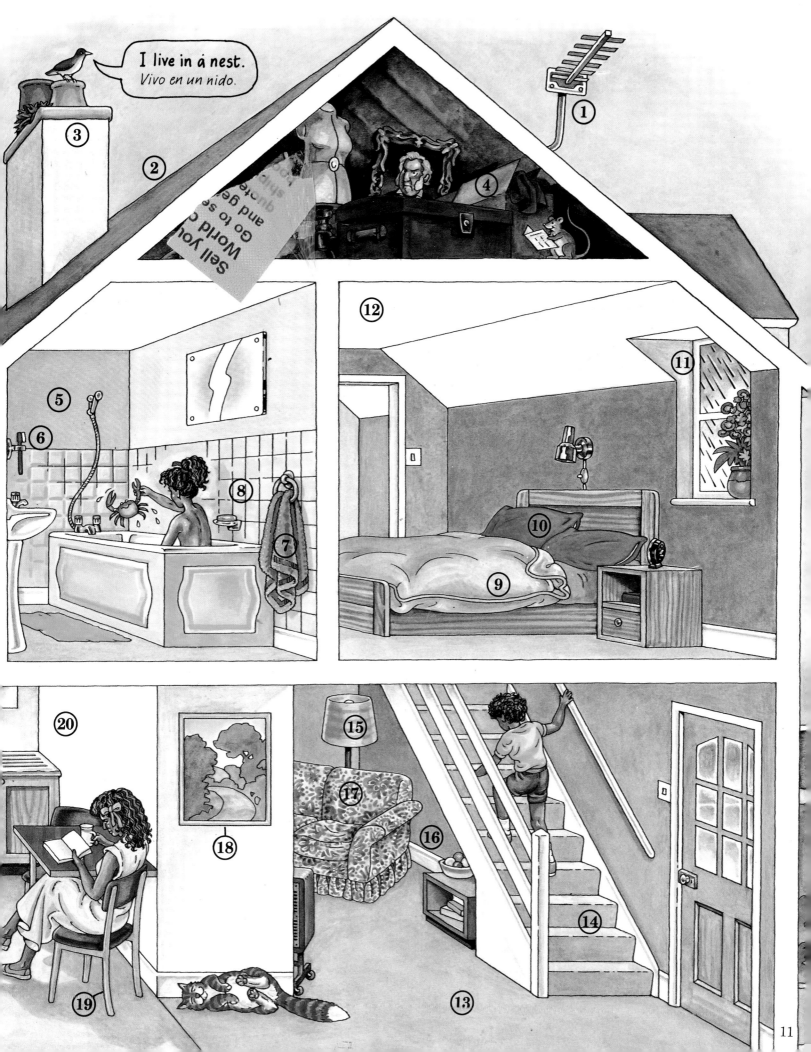

The Days, Months, and Seasons
What is your favorite time of year?

THE SEASONS   *LAS ESTACIONES*

Spring
La primavera

Summer
El verano

It's a nice day.
Hace buen dia.

It is warm.
Hace calor.

Autumn
El otoño

Winter
El invierno

It is windy.
Hace viento.

It is cold.
Hace frío

1.	**rain**	*la lluvia*
2.	**blossom**	*el florecimiento*
3.	**rainbow**	*un arco iris*
4.	**sun**	*el sol*
5.	**cloud**	*una nube*
6.	**wind**	*el viento*
7.	**leaves falling**	*la caída de las hojas*
8.	**snow**	*la nieve*
9.	**snowman**	*un muñeco de nieve*

THE MONTHS	*LOS MESES*	**DAYS OF THE WEEK**	*LOS DíAS DE LA SEMANA*
January	*enero*	**Monday**	*lunes*
February	*febrero*	**Tuesday**	*martes*
March	*marzo*	**Wednesday**	*miércoles*
April	*abril*	**Thursday**	*jueves*
May	*mayo*	**Friday**	*viernes*
June	*junio*	**Saturday**	*sábado*
July	*julio*	**Sunday**	*domingo*
August	*agosto*		
September	*septiembre*		
October	*octubre*		
November	*noviembre*		
December	*diciembre*		

Telling the Time

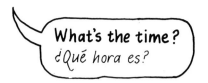
What's the time?
¿Qué hora es?

It's seven o'clock. Time to get up.
Son las siete. Es hora de levantarse

alarm clock
el despertador

morning
la mañana

It's eight-thirty. Time for school.
Son las ocho y media. Es hora de ir a la escuela.

yesterday
ayer

It is twelve noon. Lunch time.
Son las doce del mediodía. Es hora de comer.

afternoon
la tarde

wrist watch
un reloj de pulsera

It's a quarter to eight. Story time.
Son las ocho menos cuarto. Es hora de oir cuentos.

today
hoy

evening
la tarde

It's a quarter past eight. Bedtime.
Son las ocho y quince. Es hora de ir a la cama.

clock
un reloj

It is midnight. It is dark outside.
Es medianoche. Está oscuro fuera.

night
la noche

tomorrow
mañana

In the Kitchen

1.	**sink**	*el fregadero*
2.	**faucet**	*un grifo*
3.	**can-opener**	*un abrelatas*
4.	**vegetable rack**	*una estante de verdura*
5.	**electric mixer**	*una batidora*
6.	**washing machine**	*una lavadora*
7.	**dishwasher**	*un lavaplatos*
8.	**rolling pin**	*un rodillo*
9.	**garbage can**	*un cubo de la basura*
10.	**refrigerator**	*un frigorífico*
11.	**broom**	*una escoba*
12.	**saucepan**	*una cacerola*
13.	**frying pan**	*un sartén*
14.	**stove**	*una cocina*
15.	**table**	*una mesa*
16.	**stool**	*un taburete*
17.	**coffee pot**	*una cafetera*
18.	**bowl**	*un tazón*
19.	**pitcher**	*una jarra*
20.	**iron**	*una plancha*
21.	**ironing board**	*una tabla de planchar*
22.	**cup and saucer**	*una taza y un platillo*

kettle
un hervidor

corkscrew
un sacacorchos

spoon
una cuchara

knife
un cuchillo

plate
un plato

I am hungry. What are you eating?
Tengo hambre. ¿Qué estáis comiendo?

We are eating bananas and cake.
Estamos comiendo plátanos y tarta.

Dad is in the kitchen cooking breakfast.
Papá está en la cocina preparando el desayuno.

The Body
From Head to Toe.

foot
el pie

back
la espalda

face
la cara

shoulder
el hombro

Come on in! The water is lovely!
¡ Entra al agua. Está muy buena !

leg
la pierna

stomach
el estómago

chest
el pecho

hand
la mano

arm
el brazo

head
la cabeza

1. **mouth**	*la boca*
2. **nose**	*la nariz*
3. **eye (eyes)**	*el ojo*
4. **ear**	*la oreja*
5. **hair**	*el pelo*
6. **neck**	*el cuello*
7. **elbow**	*el codo*
8. **finger**	*el dedo*
9. **thumb**	*el pulgar*
10. **knee**	*la rodilla*
11. **ankle**	*el tobillo*
12. **toe**	*el dedo gordo*

Numbers

Can you count up to 20?

How many can you count?
¿Cuántos puedes contar?

There is one elephant and there are...
Hay un elefante y hay...

1. one elephant — *un elefante*
2. two sandals — *dos sandalias*
3. three teddy bears — *tres ositos de felpa*
4. four penguins — *cuatro pingüinos*
5. five mice — *cinco ratones*
6. six ice creams — *seis helados*
7. seven balloons — *siete globos*
8. eight fish — *ocho peces*
9. nine strawberries — *nueve fresas*
10. ten keys — *diez llaves*
11. eleven mushrooms — *once setas*
12. twelve eggs — *doce huevos*
13. thirteen ladybugs — *trece mariquitas*
14. fourteen cupcakes — *catorce tartas*
15. fifteen thumbtacks — *quince chinchetas*
16. sixteen flowers — *dieciseis flores*
17. seventeen matches — *diecisiete cerillas*
18. eighteen bricks — *dieciocho ladrillos*
19. nineteen buttons — *diecinueve botones*
20. twenty ants — *veinte hormigas*

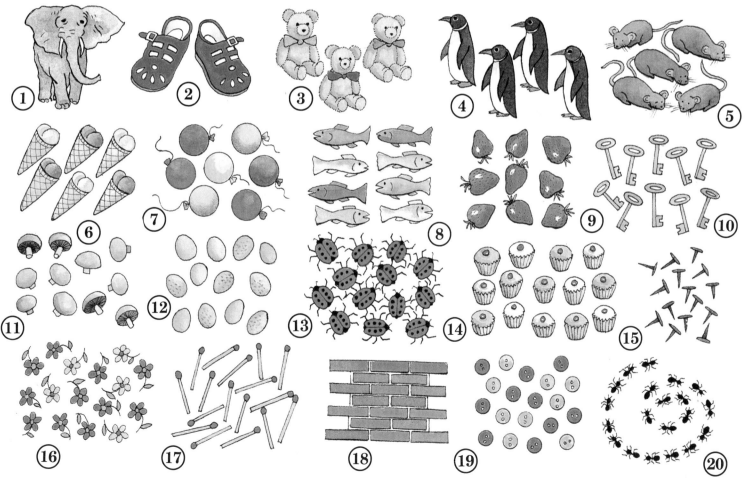

At the Train Station

1.	**train**	*un tren*
2.	**engineer**	*el maquinista*
3.	**locomotive**	*una locomotora*
4.	**train track**	*el ferrocarril*
5.	**platform**	*el andén*
6.	**car**	*el vagon*
7.	**guard**	*el guardia*
8.	**flag**	*una bandera*
9.	**porter**	*un mozo*
10.	**luggage trolley**	*un carro de equipaje*
11.	**luggage**	*el equipaje*
12.	**passenger**	*un pasejero/una pasejera*
13.	**signal**	*un señal*
14.	**exit**	*la salida*
15.	**subway**	*un subterráneo*
16.	**newspaper**	*un periódico*
17.	**news vendor**	*un vendedor de periódicos*
18.	**handbag**	*un bolso*
19.	**platform number**	*el numero de andén*
20.	**refreshment stand**	*un quiosco de refrescos*

At the Beach

1.	**sky**	*el cielo*
2.	**sun**	*el sol*
3.	**cloud**	*la nube*
4.	**sand**	*la arena*
5.	**sea**	*el mar*
6.	**wave**	*una ola*
7.	**cliff**	*un acantilado*
8.	**cave**	*una cueva*
9.	**seagull**	*una gaviota*
10.	**yacht**	*un yate*
11.	**sail**	*una vela*
12.	**mast**	*un mástil*
13.	**rowboat**	*una barca de remos*
14.	**motor boat**	*una lancha de motor*
15.	**fish**	*un pez*
16.	**surfer**	*un deportista de surfing*
17.	**rock**	*una roca*
18.	**seaweed**	*la alga*
19.	**ship**	*un barco*
20.	**pail**	*un cubo*
21.	**shovel**	*una pala*
22.	**raft**	*una balsa*
23.	**umbrella**	*un parasol*
24.	**deck chair**	*una tumbona*
25.	**lighthouse**	*un faro*

Going Shopping

1. **fruit** — *la fruta*
2. **vegetables** — *las legumbres*
3. **meat** — *la carne*
4. **fish** — *el pescado*
5. **bread** — *el pan*
6. **cake** — *la tarta*
7. **sugar** — *el azucar*
8. **milk** — *la leche*
9. **eggs** — *los huevos*
10. **cheese** — *el queso*
11. **butter** — *la mantequilla*
12. **pears** — *las peras*
13. **apples** — *las manzanas*
14. **bananas** — *los plátanos*
15. **potatoes** — *las patatas*
16. **onions** — *las cebollas*
17. **carrots** — *las zanahorias*
18. **cauliflower** — *una coliflor*
19. **wine** — *el vino*
20. **checkout** — *la caja*
21. **shopping cart** — *un carro*
22. **cashier** — *la cajera/el cajero*
23. **money** — *el dinero*

strawberry
una fresa

raspberry
una frambuesa

lemon
un limón

mushroom
una seta

Let's keep in touch

1. **newspaper**   *un periódico*
2. **books**   *los libros*
3. **television**   *un televisor*
4. **radio**   *la radio*
5. **typewriter**   *una máquina de escribir*
6. **letter**   *una carta*
7. **envelope**   *un sobre*
8. **stamp**   *un sello*
9. **address**   *la dirección*
10. **pen**   *un bolígrafo*
11. **photograph**   *una fotografía*
12. **telephone**   *un teléfono*
13. **camera**   *una cámara*
14. **calculator**   *una calculadora*

Which Way?

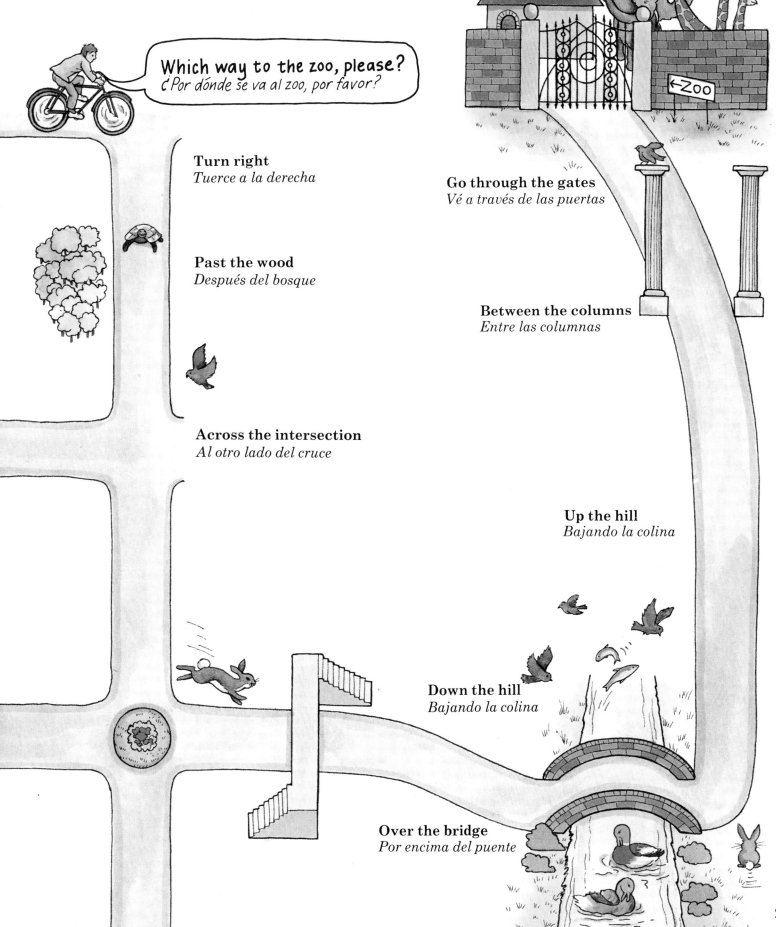

Which way to the zoo, please?
¿Por dónde se va al zoo, por favor?

Turn right
Tuerce a la derecha

Past the wood
Después del bosque

Across the intersection
Al otro lado del cruce

Go through the gates
Vé a través de las puertas

Between the columns
Entre las columnas

Up the hill
Bajando la colina

Down the hill
Bajando la colina

Over the bridge
Por encima del puente

At School

1. **blackboard** — *una pizarra*
2. **globe** — *un globo terráqueo*
3. **easel** — *un caballete*
4. **abacus** — *un ábaco*
5. **teacher** — *una maestra*
6. **pupil (boy)** — *un alumno*
   pupil (girl) — *una alumna*
7. **paints** — *las pinturas*
8. **paintbrushes** — *los pinceles*
9. **painting** — *una pintura*
10. **exercise book** — *un cuaderno*
11. **paper** — *el papel*
12. **alphabet** — *el alfabeto*
13. **sums** — *las cuentas*
14. **school bag** — *una cartera*
15. **wastepaper basket** — *una papelera*
16. **cupboard** — *un armario*
17. **chalk** — *la tiza*
18. **goldfish** — *una carpa*
19. **books** — *los libros*

It's easy to learn how to speak English.
Es fácil aprender a hablar inglés.

pencil sharpener
un sacapuntas

thumb tack
una chincheta

scissors
las tijeras

ruler
una regla

pencil
el lápiz

Can you teach me to paint?
¿Puedes enseñarme a pintar?

In the Playground

1. **walk** — *andar*
2. **stand** — *estar de pie*
3. **jump** — *saltar*
4. **skip** — *saltar a la comba*
5. **sit** — *sentarse*
6. **run** — *correr*
7. **throw** — *lanzar*
8. **catch** — *detener*
9. **pull** — *tirar*
10. **push** — *empujar*
11. **fall down** — *caerse*
12. **eat** — *comer*
13. **drink** — *beber*
14. **wave** — *saludar*
15. **smile** — *sonreir*
16. **cry** — *llorar*
17. **read** — *leer*
18. **bend** — *inclinarse*
19. **hop** — *brincar*
20. **climb** — *escalar*
21. **give** — *dar*
22. **take** — *tomar*
23. **speak** — *hablar*
24. **listen** — *escuchar*

play
jugar

28

Do you speak English?
¿Habla usted inglés?

No, but
No, sino . . .

I speak French	*Yo hablo francés*
You speak German	*Tú hablas alemań* *Usted habla alemán*
He speaks Spanish	*El habla español*
She speaks Chinese	*Ella habla chino*
We speak Italian	*Nosotros hablamos italiano*
You speak Russian	*Ustedes hablan ruso*
They speak Portuguese	*Ellos hablan portugués*
They speak Swedish	*Ellas hablan sueco*

> **NOTE**
>
> **Tú** is used for "you" in Spanish when speaking to one close friend. In all other cases you use **usted** for one person and **ustedes** if there is more than one person.
>
> **Ellas** is used in Spanish if "they" are all female. If "they" are all male or mixed men and women use **Ellos**.
>
> In Spanish the pronouns yo, tú, el, ella, nosotros, ellos and ellas are normally omitted. They are used for emphasis and to avoid any confusion. Even "usted" can be left out.

In the Garden

1. **tree** — *un árbol*
2. **leaf** — *una hoja*
3. **bush** — *un arbusto*
4. **grass** — *la hierba*
5. **lawnmower** — *una cortacésped*
6. **flowerbed** — *el macizo*
7. **worm** — *un gusano*
8. **wheelbarrow** — *una carretilla*
9. **watering can** — *una regadera*
10. **greenhouse** — *un invernadero*
11. **spade** — *una pala*
12. **pitchfork** — *una horca*
13. **swing** — *un columpio*
14. **seesaw** — *un balancín*
15. **fence** — *una cerca*
16. **vegetables** — *las legumbres*
17. **hose** — *el tubo de manguera*
18. **earth** — *la tierra*
19. **pond** — *el estanque*
20. **path** — *una vereda*

rose
una rosa

flowerpot
una maceta

trowel
una paleta

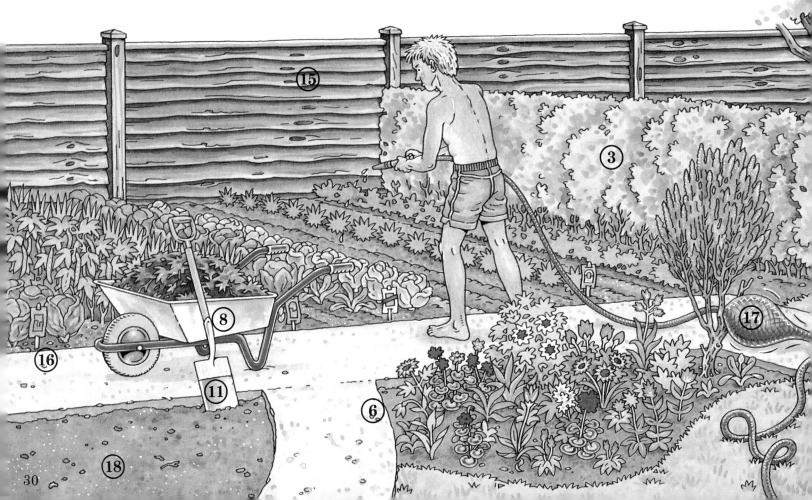

In the Country

1. **farmhouse**   *una granja*
2. **farmer**   *el granjero*
3. **chickens**   *las gallinas*
4. **pig**   *el cerdo*
5. **cow**   *una vaca*
6. **calf**   *una ternera*
7. **sheep**   *una oveja*
8. **lamb**   *un cordero*
9. **hill**   *una colina*
10. **mountain**   *una montaña*
11. **village**   *un pueblo*
12. **wood**   *un bosque*
13. **horse**   *un caballo*
14. **tractor**   *un tractor*
15. **plow**   *un arado*
16. **turkey**   *un pavo*
17. **fox**   *un zorro*
18. **hedge**   *un seto*
19. **rabbit**   *un conejo*
20. **squirrel**   *una ardilla*

cheese *el queso*

milk *la leche*

butter *la mantequilla*

33

The Family

The whole family is arriving to wish Grandma a happy birthday.

cat
un gato

kitten
un gatito

dog
un perro

puppy
un cachorro

duck
un pato

duckling
un patito

1. **mother (mommy)** — *la madre (mamá)*
2. **father (daddy)** — *el padre (papá)*
3. **baby** — *el bebé*
4. **daughter** — *la hija*
5. **son** — *el hijo*
6. **grandmother/wife** — *la abuela/la esposa*
7. **grandfather/husband** — *el abuelo/el marido*
8. **grandchildren** — *los nietos*
9. **uncle** — *el tío*
10. **aunt** — *la tía*
11. **cousin** — *el primo (boy) la prima (girl)*
12. **brother** — *el hermano*
13. **sister** — *la hermana*
14. **nephew** — *el sobrino*
15. **niece** — *la sobrina*
16. **present** — *un regalo*
17. **flowers** — *las flores*

Our Clothes

1.	**dress**	*un vestido*
2.	**skirt**	*una falda*
3.	**jeans**	*los pantalones vaqueros*
4.	**socks**	*los calcetines*
5.	**shoes**	*los zapatos*
6.	**gloves**	*los guantes*
7.	**hat**	*un sombrero*
8.	**sweater**	*un jersey*
9.	**belt**	*un cinturón*
10.	**jacket**	*una chaqueta*
11.	**pants**	*los pantalones*
12.	**underpants**	*los calzoncillos*
13.	**undershirt**	*una camiseta*
14.	**shirt**	*una camisa*
15.	**tie**	*una corbata*
16.	**pajamas**	*el pijama*
17.	**bathrobe**	*una bata*
18.	**slippers**	*las zapatillas*
19.	**raincoat**	*un impermeable*
20.	**overcoat**	*un abrigo*
21.	**clothes closet**	*un armario de ropa*
22.	**mirror**	*un espejo*
23.	**hanger**	*una percha*

handkerchief
un pañuelo

comb
un peine

hairbrush
un cepillo

The things we wear are called clothes.
Las cosas que nos ponemos se llaman ropa.

Most clothes are made of cloth.
La mayoriá de la ropa está hecha con tela.

The Five Senses

sight
la vista

Look at the balloon in the sky. Can you see it?
Mira el globo del cielo. ¿Lo ves?

hearing
el oído

Listen to the lion roaring. Can you hear him?
Escucha cómo ruge el león. ¿Lo oyes?

Smell the flowers. Can you smell the scent?
Huele las flores. ¿Puedes oler el aroma?

smell
el olfato

Taste the ice-cream. Can you taste the chocolate?
Prueba el helado. ¿Saboreas el gusto a chocolate?

taste
el gusto

Touch the cat's fur. Can you feel how soft it is?
Toca el pelo del gato. Notas lo suave que es?

touch
el tacto

Touch the table. Can you feel how hard it is?
Toca la mesa, Notas lo dura que es.

Shapes and Colors

When you mix colors together you make new colors.

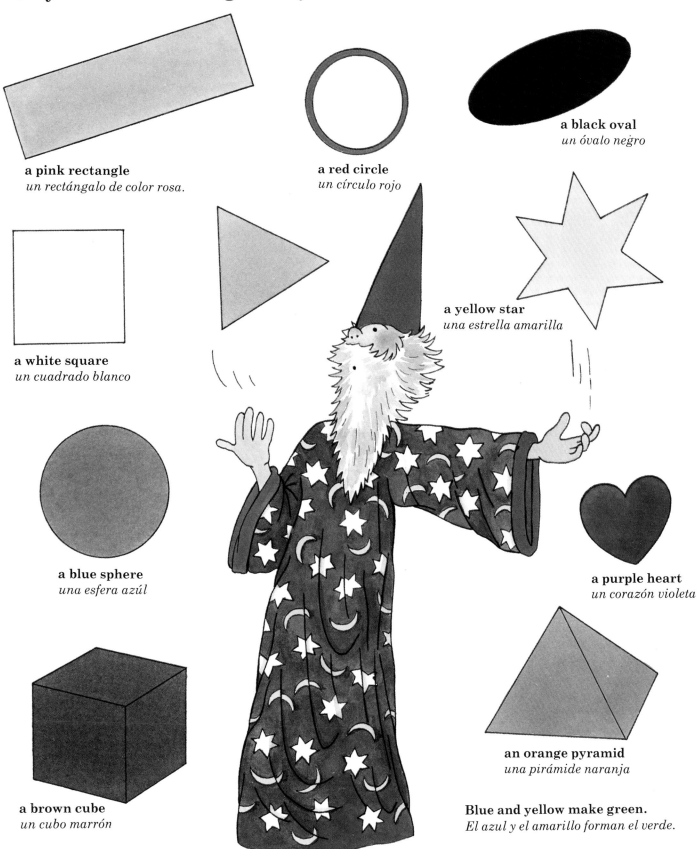

a pink rectangle
un rectángalo de color rosa.

a red circle
un círculo rojo

a black oval
un óvalo negro

a white square
un cuadrado blanco

a yellow star
una estrella amarilla

a blue sphere
una esfera azúl

a purple heart
un corazón violeta

a brown cube
un cubo marrón

an orange pyramid
una pirámide naranja

Blue and yellow make green.
El azul y el amarillo forman el verde.

WORD LIST

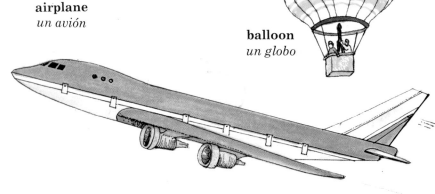

bird
un pájaro

ENGLISH	SPANISH
abacus	un ábaco
address	la dirección
afternoon	la tarde
airplane	un avión
airport	un aeropuerto
alarm clock	el despertador
alphabet	el alfabeto
ankle	el tobillo
ant	una hormiga
antenna	la antena
apple	una manzana
April	abril
arm	el brazo
attic	un ático
August	agosto
aunt	una tía
autumn	el otoño
baby	el bebé
bakery	el panadero
balloon	el globo
banana	el plátano
bank	el banco
to bark	ladrar
bathroom	un cuarto de baño
bed	la cama
bell (small, hand-)	un timbre
belt	un cinturón
to bend	inclinarse
between	entre
bicycle	una bicicleta
bird	un pájaro
black	negro/negra
blackboard	la pizarra
blossom	el florecimiento
blue	azul
body	el cuerpo
bone	el hueso
book	un libro
bowl	un tazón
boy	un muchacho
brake	el freno
bread	el pan
breakfast	el desayuno
brick	el ladrillo
bridge	un puente
broom	una escoba
brother	un hermano
brown	marrón
bucket	un cubo
to build	construír
bush	un arbusto
but	pero
butter	la mantequilla
button	el botón
to buy	comprar
cake	la tarta
calculator	una calculadora
calendar	un calendario
calf	la ternera
camera	la cámara

can (= to be able to, know how to)	poder
can opener	un abrelatas
car	un coche
car (railroad)	el vagon
carrot	la zanahoria
cashier	la cajera
cat	un gato
to catch	detener/coger
cauliflower	la coliflor
cave	la cueva/caverna
ceiling	el techo/tejado
chair	la silla
chalk	la tiza
checkout (supermarket)	la caja
cheese	el queso
chest (part of body)	el pecho
chicken	la gallina
child	un niño/una niña
chimney	la chimenea
circle	un círculo
classroom	la aula
cliff	el acantilado
to climb	escalar
clock (household)	un reloj
cloth	la tela
clothes	la ropa
cloud	la nube
coffee pot	una cafetera
cold	frío/fría

balloon
un globo

airplane
un avión

control tower
una torre de control

40

color	el color
comb	el peine
control tower (airport)	la torre de control
cooker	una cocina
corkscrew	un sacacorchos
corner	la esquina
to count	contar
cousin	el primo/la prima
cow	una vaca
crab	un cangrejo
to cry	llorar
cube	un cubo
cup	una taza
cupboard	el armario
dad, daddy	papá
(it is) dark	oscuro
date	la fecha
daughter	la hija
day	el día
December	diciembre
deck chair	una tumbona
to dig	cavar
dishwasher	el lavaplatos
to dive	bucear
to do	hacer
dog	un perro
door	una puerta
to draw	dibujar
drawer	un cajón
dress	un vestido
to drink	beber
duck	el pato
ear	una oreja
earth	la tierra
easel	el cabalette
to eat	comer
egg	un huevo
eight	ocho
eighteen	dieciocho
elbow	el codo
electric mixer	una batidora
elephant	un elefante
eleven	once
envelope	el sobre
eraser	una goma
evening	la tarde
exercise book	un cuaderno
exit	la salida
eye, eyes	un ojo
face	la cara
to fall	caerse
family	la familia
farm/farmhouse	una granja
farmer	un granjero
father	el padre
February	febrero
fence	una cerca/un seto
fifteen	quince
finger	el dedo
fish	un pez/el pescado

glider
un planeador

five	cinco
flag	la bandera
floor	el suelo
flower	una flor
flowerbed	el macizo
flowerpot	una maceta
foot	el pie
fork (table)	el tenedor
four	cuatro
fourteen	catorce
fox	un zorro
Friday	viernes
friend	un amigo/una amiga
fruit	la fruta
frying-pan	el sartén
garden	un jardín
gate	la puerta
to give	dar
glider	un planeador
globe (in classroom)	el globo terráqueo
glove	un guante
to go	ir
goldfish	una carpa
grandchildren	los nietos
grandfather	el abuelo
grandmother/*granny	la abuela
grass	la hierba
green	verde
greenhouse	el invernadero
guard (train)	el guardia
hair	el pelo
half	la mitad
hand	la mano
handbag	el bolso
handkerchief	un pañuelo
handlebar	el manillar
hanger	una percha
hat	un sombrero
to have	tener
head	la cabeza
to hear	oir
heart	el corazón
hedge	el seto
helicopter	un helicóptero
hill	la colina

helicopter
un helicóptero

to hop	*brincar*
horse	*un caballo*
hose (garden)	*un tubo de manguera*
hot	*calor*
hotel	*un hotel*
hour	*una hora*
house	*una casa*
hungry/I'm hungry	*el hambre/tengo hambre*
husband	*el marido*

I/I'm a boy	*yo/yo soy un muchacho*
ice	*el hielo*
ice cream	*un helado*
iron	*una plancha*
ironing board	*una tabla de planchar*
it's	*es*

jacket	*la chaqueta*
January	*enero*
jeans	*los pantalones vaqueros*
jet engine	*un reactor*
jug	*una jarra*
July	*julio*
to jump	*saltar*
June	*junio*

kennel	*una perrera*
kettle	*la tetera*
key	*una llave*
kitchen	*una cocina*
kite	*una cometa*
kitten	*un gatito*
knee	*la rodilla*
knife	*un cuchillo*

ladybug	*una mariquita*
lamb	*un cordero*
lamp	*una lampara*
lamppost	*un poste de farol*
lawnmower	*una cortacésped*
leaf	*una hoja*
to learn	*aprender*
to leave	*irse*
left	*izquierda*
leg	*la pierna*
lemon	*un limón*
letter	*una carta*
lighthouse	*el faro*
lion	*el leon*
to listen	*escuchar*
living-room	*el cuarto de estar*
to look	*mirar*
luggage	*el equipaje*

to make	*hacer*
man	*un hombre*
March	*marzo*
mast	*el mástil*
match	*una cerilla*
May	*mayo*
meat	*la carne*

kite
una cometa

midnight	*la medianoche*
milk	*la leche*
mirror	*el espejo*
mommy	*mamá*
Monday	*lunes*
money	*el dinero*
month	*un mes*
moon	*la luna*
morning	*la mañana*
mother	*la madre*
motor boat	*una lancha de motor*
mountain	*una montaña*
mouse	*el ratón*
mouth	*la boca*
movie theater	*el cine*
mushroom	*una seta*
my	*mi*

name	*el nombre*
neck	*el cuello*
nest	*un nido*
nephew	*el sobrino*
newspaper	*un periódico*
niece	*la sobrina*
night	*la noche*
nine	*nueve*
nineteen	*diecinueve*
noon	*mediodía*
nose	*la nariz*
November	*noviembre*
number	*un número*

October	*octubre*
office	*la oficina*
one	*uno*
onion	*una cebolla*
orange (color)	*naranja*
oval	*óvalo/óvala*
overcoat	*un abrigo*

package	una bolsa	rock	la roca
to paint	pintar	rolling pin	el rodillo
paintbrush	un pincel	roof	el techo/el tejado
painting	la pintura	rose	una rosa
pajamas	el pijama	rowboat	una barca de remos
paper	el papel	ruler	una regla
parking meter	un contador	to run	correr
passenger	el pasejero/la pasejera	runway	la pista
path (garden)	el camino	saddle	la silla de montar
pear	una pera	sail	la vela
pedal	un pedal	sand	la arena
pen	un bolígrafo	sandal	la sandalia
pencil	el lápiz	Saturday	sábado
pencil sharpener	un sacapuntas	saucer	un platillo
penguin	un pingüino	saucepan	la cacerola
people	la gente	scales (pair of)	el platillo de balanza
pet	el animal domestico	school	una escuela
pharmacy	el farmacéutico	scissors	las tijeras
photograph	una fotografía	sea	el mar
piano	el piano	seagull	la gaviota
picture	el cuadro	seaweed	la alga
pig	el cerdo	seesaw	un balancín
pillow	una almohada	September	septiembre
pink	rosa	seven	siete
pitchfork	la horca	seventeen	diecisiete
plant	una planta	she	ella
plate	un plato	sheep	una oveja
platform	un andén	shelf	el estante
to play	jugar	shell	una concha
please	por favor	ship	un barco
plow	el arado	shirt	une camisa
policeman	el policía/la policía	shoes	los zapatos
pond (garden)	un estanque		
porter	un mozo	to shut	cerrar
post office	correos	sidewalk	acera
potato	una patata	to sing	cantar
present	un regalo	singer	el/la cantante
to pull	tirar		
pupil (primary school)	el alumno/la alumna	sink (kitchen)	un fregadero
pupil (secondary school)		sister	una hermana
puppy	un cachorro	to sit (be seated)	sentarse
purple	violeta		
to push	empujar	six	seis
pyramid	un pirámide	sixteen	dieciseis
		skip (with jump rope)	saltar a la comba
rabbit	un conejo	skirt	la falda
radio	la radio	sky	el cielo
raft	la balsa	to sleep	dormir
railroad track	el ferrocarril		
rain	la lluvia	slipper	la zapatilla
rainbow	un arco iris	to smell (a flower etc)	oler
raincoat	un impermeable	to smile	sonreir
raspberry	una frambuesa	snow	la nieve
to read	leer	snowman	el muñeco de nieve
rectangle	un rectángalo	soap	el jabón
red	rojo/roja	sock	el calcetin
refreshment stand	un quiosco de refrescos	sofa	un sofá
refrigerator	un frigorífico	soft	suave
to ride (= to go horse riding)	montar	son	un hijo
		spade	una pala
right	derecha		
river	un río	to speak	hablar
road	la carretera		

spoon	una cuchara	towel	la toalla
spring (season)	la primavera	town	la ciudad
square	un cuadrado	tractor	un tractor
squirrel	una ardilla	traffic lights	el semáforo
stairs	los peldaños	train	un tren
stamp (postage)	un sello	trash can	el cubo de la basura
to stand (= to be standing)	estar de pie	tree	el árbol
		triangle	el triángolo
		trolley (supermarket)	un carro
station	la estación	trowel	una palebta
star	una estrella	Tuesday	martes
stomach	el estómago	turkey	un pavo
stool	un taburete	to turn	torcer
to stop	parar	twelve	doce
stawberry	una fresa	twenty	veinte
street	la calle	two	dos
sugar	el azúcar	typewriter	una máquina de escribir
summer	el verano		
sun	el sol	umbrella (beach)	una parasol
Sunday	domingo	uncle	un tío
supermarket	un supermercado	underpants	los calzoncillos
sweater	un jersey	vegetables	las legumbres/las verduras
to swim	nadar	very	muy
swing	un columpio	village	un pueblo
table	una mesa	to wake (up)	despertarse
tail	un rabo	to walk	andar
to take	tomar	to want	querer
to talk	hablar	washing machine	la lavadora
tap	un grifo	wastepaper basket	la papelera
to taste	probar	water	la agua
taste (sense of)	el gusto	watering can	la regadera
taxi	un taxi	wave (sea)	la ola
to teach	enseñar	wave	saludar
teacher (primary school)	el maestro, la maestra	we	nosotros
		to wear	ponerse
Teddy (-bear)	un osito de felpa	Wednesday	miércoles
telephone	un teléfono	week	una semana
telephone booth	la cabina de teléfono	what . . ?/what are you eating?	¿que?
television set	un televisor		
ten	diez	wheel	una rueda
tennis	tenis	wheelbarrow	una carretilla
tent	una tienda da campaña	where?	¿donde?
there is, there are	hay	white	blanco/blanca
they	ellos, ellas	wife	una esposa
thirteen	trece	wind	el viento
three	tres	window	una ventana
to throw	lanzar/tirar	wine	el vino
thumb	el pulgar	wing	una ala
Thursday	jueves	winter	el invierno
ticket	el billete	woman	la mujer
		wood	un bosque
		wool	la lana
tie	una corbata	worm	un gusano
time	el tiempo	wristwatch	un reloj de pulsera
tire	neumático	to write	escribir
tired	cansado		
today	hoy	yacht	un yate
toe	el dedo del pie	year	un ano
tomorrow	manaña	yellow	amarillo
tooth	el diente	yesterday	ayer
toothbrush	un cepillo de dientes		
touch (sense of)	el tacto	zoo	un zoo

I am writing a letter to Maria.
Estoy escribiendo una carta a María.

"Thank you for your letter."
"Gracias por tu carta."

"How are you? I am very well."
"¿Cómo estás? Yo estoy muy bien."

"Goodnight for now."
"Buenas noches por ahora."

"I have a new pet. It is a hamster called Otto."
"Tengo una mascota nueva. Es un hamster que se llama Otto."

"It is very quiet tonight."
"Está todo muy tranquilo esta noche."

"I am tired and sleepy."
"Estoy cansado y tengo sueño."

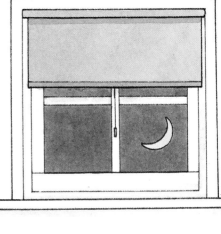